FEININGER VOORBIJ

Van Jan Brokken verschenen eerder:

De provincie
De zee van vroeger
Zaza en de president
De moordenaar van Ouagadougou
Met musici
De regenvogel
Goedenavond, mrs. Rhys
Vulkanen vanaf zee
Spiegels
De blinde passagiers
De droevige kampioen
Jungle Rudy
Afrika
Voel maar
Zoals Frankrijk was
Mijn kleine waanzin
Waarom elf Antillianen knielden voor het hart van Chopin
De wil en de weg
In het huis van de dichter

JAN BROKKEN

FEININGER VOORBIJ

NOVELLE

UITGEVERIJ ATLAS
AMSTERDAM/ANTWERPEN

Omslagontwerp: Marjo Starink
Omslagillustratie: © Lyonel Feininger, *Torturm 1, 1923-1926*, Kunstmuseum Basel Zwitserland, c/o Pictoright Amsterdam 2009
Foto auteur: Ronald Hoeben

ISBN 978 90 450 1200 1
D/2009/0108/511
NUR 301

www.uitgeverijatlas.nl
www.janbrokken.nl

Jouw hoofd wil ik glashelder
Bedauwen met mijn wel,
Zo vlug zal jij je smart vergeten,
O zorgenrijke gezel!

Heinrich Heine, *De Harzreis*

» 1 «

Ik zag haar direct al bij aankomst op Schloß Freywalde. Ze liep op de laan die naar het bordes van het kasteel leidde. Ook Zane draaide zijn hoofd in haar richting.

We zaten in hetzelfde busje dat ons van het station naar het kasteel bracht, een rit van een halfuur. Meer dan een paar woorden hadden we onderweg niet gewisseld.

Zane kwam uit Phoenix, Arizona.

'Voor het eerst in Duitsland?'

'Mm. In zekere zin.'

Hij had mijn blik ontweken en de verdere weg naar zijn knieën gestaard, tot het kasteel opdoemde en het busje háár passeerde, in de bocht van de oprijlaan. Ik kan me niet herinneren dat hij toen opveerde. Niet, denk ik, nóg niet.

Maar hij keek.

Een enorme bos krulhaar, hennarood. Een lange regenjas waarvan ze de kraag had opgetrokken. De wind joeg de panden uiteen. Onder haar jas droeg ze een strakke zwarte spijkerbroek. Stelten van benen, waardoor ze op zevenmijlslaarzen leek te lopen. Aan haar rechterschouder een camera. De overeenkomst met Feininger was treffend: die droeg ook altijd een lange beige regenjas en nam een kleinbeeldcamera mee wanneer hij eropuit trok, een Leica, in een leren hoes.

Het busje stopte voor het bordes van het kasteel. De chauffeur was oud genoeg om het verdwijnen van de DDR te betreuren en bleef stokstijf achter het stuur zitten. Zane en ik pakten zelf onze bagage, ieder twee koffers, wat niet eens zoveel was voor een verblijf van vier maanden.

Op het moment dat we de hal binnenliepen, kwam zij met huppelpasjes de brede bordestrap op. Ik hield de deur voor haar open. Met gespeelde beleefdheid boog ze het hoofd en zei: '*Danke.*' Ze had een lichte stem, die naar spot neigde. Zane groette haar niet. Ze liep een smalle donkere gang in, ik klopte op de deur met het bordje SEKRETARIAT.

★

Een kleine gezette dame met een strenge bril vroeg ons een formulier in te vullen. We moesten ons paspoort inleveren, zodat ze er een kopie van kon maken voor de politie. Ze gaf ons de sleutel van de kamer. Die van mij lag op de eerste verdieping, die van Zane ook. Uit het nummer maakte ik op dat hij mijn buurman zou worden.

Zane kreeg nog een andere sleutel, van het atelier, dat zich aan de zijkant van het park bevond. 'In de fabriek,' zei de dame met een straf knikje, 'de vroegere bruinkoolfabriek.'

Op staccatotoon noemde ze de uren van de maaltijden. Van halfacht tot negen uur ontbijt, van twaalf tot halftwee lunch, van zes tot halfacht diner. Verschenen we later, dan zouden we de hond in de pot vinden.

Ze gaf ons een stencil met de huisregels mee. Na klachten over geluidsoverlast volgde verwijdering. De zin was vet gedrukt, in hoofdletters.

Zane vouwde het blaadje op zonder er een blik op te hebben geworpen. Zijn Duits was niet zo best, vermoedde ik, ondanks zijn achternaam. De secretaresse had hem met 'Herr Blumenthal' aangesproken.

*

Tijdens de lunch nam hij tegenover me plaats.

In de eetzaal stonden een stuk of tien tafels, waarvan er slechts drie waren bezet. Hij had ergens anders kunnen gaan zitten, hij had alleen kunnen eten. Kennelijk gaf het hem een vertrouwd gevoel de tafel met mij te delen.

Ik was al bijna gewend aan zijn zwijgzaamheid.

In de trein van Berlijn naar Jüterbog had hij drie stoelen voor me gezeten. Hij was me opgevallen door zijn kaalgeschoren kop. Ik had me afgevraagd waarom een man van voor in de dertig geen haar op zijn hoofd wil en om de zoveel dagen naar de tondeuse grijpt. Zo'n gladde schedel geeft je het aanzien van een militair, een gevangene of een kankerpatiënt, en ik snapte niet wat daar zo aantrekkelijk aan is.

Zane at zwijgend.

Ik zei: 'Ruime kamer. De jouwe ook?'

Hij knikte.

Ik vroeg: 'Goed atelier?'

Hij weifelde, zonder zijn bezwaren onder woorden te brengen.

Misschien was hij wazig in zijn hoofd, door de lange reis van Arizona naar Berlijn, ofschoon het hem toch niet zo vreselijk veel moeite moest kosten om 'ja' te zeggen. Van jetlag ga je trouwens druk praten. Het moest zijn karakter zijn.

'Vet eten,' zei ik ten slotte, en dat ontlokte hem zowaar een zucht.

*

Vierentwintig kunstenaars vertoefden in het kasteel. In de eetzaal zaten er negen of tien. Een enkeling kwam zich voorstellen, de anderen vonden dat het initiatief van de nieuwkomers moest uitgaan. Zane bleef stijf zitten, ik besloot na de maaltijd de tafels langs te gaan.

Voor namen heb ik een geheugen als een zeef; ik onthield alleen waar de kostgangers vandaan kwamen: uit Berlijn, Dresden, Leipzig, Frankfurt an der Oder, uit München, Hamburg, Dortmund, en uit Oslo.

De vrouw met het rode haar ontbrak; de middagmaaltijd sloeg ze klaarblijkelijk over. Ik kon haar geen ongelijk geven; de bloedworst lag me als een steen op de maag.

*

Ze verscheen 's avonds.

Zane was weer tegenover me gaan zitten. Ik voorzag dat hij geen moment meer van mijn zijde zou wijken, als een zwerfhond die eindelijk een baasje had gevonden.

'*Darf ich*?'

Bij Zane kon er nog geen knikje vanaf.

'Ute.'

Ferme handdruk, spottend lachje.

Ze droeg dezelfde strakke zwarte broek als die morgen en een vuurrode body. Ze schoof bij ons aan tafel en haalde uit haar schoudertas een fles wijn. Rode, Italiaanse.

'*Darf ich*?'

Ze moest van die woorden houden, of van het ironische toontje dat ze de twee lettergrepen kon meegeven.

Ze schonk drie glazen vol.

'Eindelijk iets te vieren. Nieuwe gasten! Verder gebeurt hier niets, absoluut niets. Aan het eind van de maand gaan een paar mensen weg, aan het begin van de volgende maand komen er een paar nieuwe bij. Verder niets.'

'Al lang hier?'

'Twee maanden. Voor mijn gevoel is het twee jaar.'

'Ideaal. Geen afleiding.'

'Ik ga alleen 's morgens naar buiten. Twee uur. Soms drie. Mijn vrije uren. Of mijn uren van vrijheid. Ik kan het je aanraden. Ten zuiden van het kasteel ligt twintig kilometer bos, ten noorden tien kilometer. Lekker afwisselend.'

'Ik loop graag.'

'Ga morgen met me mee. Dan verdwaal je niet meteen. Is die maat van je trouwens doofstom?'

Zane hing met zijn hoofd boven zijn bord, geheel in zichzelf gekeerd. Hij schrokte zijn maal naar binnen alsof hij omringd werd door een legertje hongerlijders dat het op zijn kostje had voorzien. Alleen wanneer hij een slok wijn nam, rechtte hij even de rug.

'De taal, vermoed ik. Het zou kunnen dat hij alleen Duits leest. Hij komt uit Amerika, uit Phoenix, Arizona. Dat is alles wat ik je kan vertellen.'

'Klinkt veelbelovend. Phoenix! En jij?'

'Amsterdam.'

'Wow. Super.'

Dat hoorde ik vaak in het buitenland, en ik zei er altijd hetzelfde op: 'Super nat.' Het grootste deel van het jaar bracht ik trouwens elders door, maar het leek me te ingewikkeld om dat te vertellen.

Zane keek niet op, hij at stug door. Hij reageerde evenmin toen Ute zei dat haar Engels allerbelabberdst was, op een paar woorden na, die ze met een zwaar accent uitsprak. Hij keek pas van zijn bord op toen hij uitgegeten was.

Ute beperkte zich tot een salade, die ze aanmaakte met Toscaanse olijfolie en Provençaalse wijnazijn. De flesjes kwamen uit haar tas.

'Een mens moet voor zichzelf zorgen,' zei ze ter verklaring. '*Der gute Mensch ist autonom.*'

Opgewekte stem, opgewekte oogopslag. Ik vond haar grappig – niet zo'n zombie van een kunstenaar.

Na het eten stak ze een sigaret op.

'Ook één?'

Ik had een tijdje niet gerookt, maar als het om tabak ging was ik met een natte vinger te lijmen. Zane weigerde.

'Twee jaar geleden gestopt,' mompelde hij in het Engels.

'En? Wip je sindsdien beter?'

Hij keek me hulpeloos aan. Ute had 'vögeln' gezegd, ik vertaalde het voor hem. Hij aarzelde, knikte langzaam, tot Ute riep: 'Grapje hoor.' Maar ook dat ontging hem, geloof ik.

In haar vrijpostigheid hoorde ik nog een restje protest tegen de DDR, die weinig frivole combinatie van Pruisisch, preuts, protestants en proletarisch, tegen de Ulbrichts en Honeckers, die van vergaderingen en parades hielden en van kuise meisjes in gymnastiektenue.

'En jij? Berlijn? Oost? West?'

'Ah, had je dat nog niet door? Ik ben een Ossie. Mijn god, hoe kon je ook maar één seconde denken dat ik een Wessie was? Rood vanbuiten en rood vanbinnen.

Door en door verziekt. Communist tot in mijn darmen. Een opvoeding verloochent zich niet. Ik drink ook alleen maar rode wijn, ik ben verslaafd aan rood.'

Waarna ze de glazen nog eens volschonk.

Malle meid. Toen de fles leeg was, liep ze het park in. Zane liep achter haar aan, schoorvoetend, en allengs iets sneller. Vlak voor het bruggetje, dat een beek overspande, haalde hij haar in. Zei hij toen eindelijk iets tegen haar? Vanaf het bordes kon ik het niet zien.

*

Het park ademde de sfeer van de vroege Romantiek. Beken, bruggetjes, priëlen. Beelden langs de grindpaden, bevallige godinnen, trotse Apollo's, saters. *Kultur* met een krulletter. Niet een omgeving om in contact te komen met de geest van Bauhaus.

Feininger bracht me hier. Zijn verlangen naar ruimte, zee, schepen en varen, kwam exact met het mijne overeen. Volgens de ambtenaren van het Kulturamt Brandenburg althans, aan wie ik de uitnodiging dankte. Om iets van de oceanische weidsheid te laten voelen zou ik in Berlijn, Potsdam, Jüterbog en enkele andere stadjes in Brandenburg voorlezen uit *De blinde passagiers*, naar aanleiding van de grote Feininger-tentoonstelling in de Neue Nationalgalerie in Berlijn. Hoe ze bij mij terecht waren gekomen, wist ik niet precies. Misschien omdat er een afbeelding van Feininger op een van mijn vorige boeken stond, op *De zee van vroeger*. Of domweg omdat *De blinde passagiers* net in het Duits was verschenen. Zoveel romans speelden er niet meer op zee, en bij varen dacht men toch nog altijd aan Hollanders.

Voor vier maanden zou het Künstlerhaus Schloß Freywalde mijn standplaats worden, negentig kilometer ten zuiden van Berlijn, midden in de deelstaat Brandenburg. Een hoofdgebouw met twee zijvleugels, dertig ramen aan de voorkant, vierentwintig aan de achterkant. Gebouwd in 1820, toen de Napoleontische oorlogen waren uitgeraasd en dichters het landleven bezongen. Ik zou er mijn lezingen kunnen voorbereiden, in alle rust kunnen schrijven en van gedachten kunnen wisselen met andere kunstenaars die betrokken waren bij het Feininger-project. Naast Zane Blumenthal, schilder, en Ute Keller, fotografe, waren dat een Duitse dichter en een Amerikaanse schilder, afkomstig uit New York, uit het Manhattan waar Feininger de laatste jaren van zijn leven had doorgebracht.

*

Heen en weer geslingerd tussen de Oude en de Nieuwe Wereld: alleen al in dat opzicht was Lyonel Feininger modern.

Hij werd in 1871 in New York geboren, uit Duitse ouders, die hem niet konden opvoeden. Zijn vader was violist, zijn moeder zangeres, en beiden waren voortdurend op tournee. Lyonel bracht zijn jeugd bij zijn grootouders door. Op zestienjarige leeftijd vervolgde hij zijn opleiding tot tekenaar in Hamburg, op zijn eenentwintigste ging hij werken voor een Berlijnse krant. Algauw waren zijn langgerekte, groteske, beweeglijke, tragikomische figuren, die hij als schaduwen afbeeldde, uit duizenden te herkennen, en werd hij zo'n beroemde cartoonist dat hij een fabelachtig aanbod kreeg van *The Chicago Tribune*. De redactiechef legde zevenduizend zeemijlen af om hem in Berlijn te overtuigen, maar Feininger weigerde, koos voor de vrijheid van het schilderen en legde zich op kubistische vormen toe.

Hij bleef in Duitsland, tot de nazi's aan de macht kwamen. Zijn tweede vrouw was joods; in 1937 keerde hij met haar en zijn kinderen naar New York terug. Hij had net op tijd de benen genomen: het schilderij dat Hitler in januari 1938 in de hand hield toen hij vergezeld door een legertje fotografen het depot van de *entartete Kunst* in de Köpenicker Straße in Berlijn bezocht, was een Feininger.

Met twee dollar in de zak voer Lyonel de haven van New York binnen. Hij raakte in de vergetelheid, ook al was hij een van de leidinggevende kunstenaars van de Bauhaus-groep geweest. Anders dan Mies van der Rohe en Walter Gropius had hij geen manifesten geschreven. De enige gedachte waardoor hij zich liet leiden was een weinig revolutionaire: zonder heimwee komt niets tot stand. Hij overleed in 1956.

Pas in 1998 zou hij in Duitsland met een overzichtstentoonstelling geëerd worden. Analoog aan die tentoonstelling zouden enkele jonge kunstenaars een hommage aan Feininger brengen, met een expositie in Potsdam. Duitsers zijn nu eenmaal gek op concepten en dwarsverbanden, misschien omdat hun land er eeuwen over heeft gedaan om een eenheid te worden en dat eigenlijk nog steeds niet is. Na de val van de Muur geldt voor de zoveelste maal dat een nieuw en hecht Duitsland gemaakt moet worden, en iedere tentoonstelling, kunstmanifestatie of samenwerkingsverband tussen schilders, schrijvers, dichters en denkers dient daaraan bij te dragen. Om de verdenking van hernieuwd nationalisme in de kiem te smoren worden bij al die manifestaties buitenlanders betrokken.

Zane en Sean, de schilder uit New York, kregen de beschikking over een atelier in Schloß Freywalde en konden maximaal zes maanden aan de opdracht werken. In de kamer die mij werd toegewezen stond een ultramodern bureau met een glasplaat als bovenblad, waardoor ik voortdurend naar mijn knieën zat te kijken als ik schreef. Ute mocht behalve op een kamer en een atelier rekenen op een doka en een hele ris computers voor het digitale werk. Ze had eind mei haar intrek genomen in het kasteel en gedroeg zich alsof ze nooit in een andere omgeving had vertoefd. Zane en ik waren begin augustus gearriveerd.

» 11 «

Twee dagen later liep ik op goed geluk in zuidelijke richting. Op een brede onverharde weg in het bos haalde de Ute me in.

'Ik vertrek om negen uur. Iedere morgen om negen uur. Voortaan wacht je op me. Begrijp je?'

De toon was eerder helder dan ferm, maar dat kon door dat mooie *verstehst du* komen. Verstaan klinkt milder, en nodigt tot een weerwoord uit.

'Waarom zou ik iedere morgen op je wachten?'

'Anders verdwaal je.'

'Ik heb een goed ontwikkeld richtingsgevoel.'

'Er zijn brede wegen. Smalle. En paden. De paden kronkelen, de paden zijn het interessantst. Op de paden verdwaal je.'

'Je zou met Zane kunnen lopen. Of met iemand anders.'

'Zane zegt geen stom woord.'
'Je wilt gezelschap. Iemand om mee te praten.'
'Wat doe je tijdens het lopen?'
'Denken. Denken aan wat ik schrijven ga. Ik verzin scènes. Ik zeg zinnen tegen mezelf.'
'Ik kan zwijgen. Heel lang zwijgen.'
'Maar je wilt iemand naast je...'
'Niet iemand. Jou.'
'Dank je. Om welke reden precies? Wek ik vertrouwen of zo?'
'Een gevoel. En ik vergis me nooit in dat opzicht. Nooit.'
Ze liep met grote passen zonder zich in te spannen. Het hoge tempo dat ze aanhield was haar natuurlijke ritme. Ze hijgde niet, ademde niet sneller; haar longen en benen waren ingesteld op een wandelsnelheid van een kleine zes kilometer per uur. Ze hield namelijk dezelfde snelheid aan als ik, en ik had ooit eens berekend dat ik gemiddeld 5,9 kilometer haal.
'Heerlijk,' zei ze.
'Wat?'
'Je tempo.'
De regenjas droeg ze open. Het was warm, het zou die dag ongetwijfeld een graad of dertig worden. Ik had niet meer dan een broek en een T-shirt aan, maar er

hingen dikke grijze wolken in de lucht en het kon gaan onweren. Ze was iemand die haar voorzorgsmaatregelen nam: de jas kon haar van pas komen.

Ze voelde zich goed in mijn gezelschap, zei ze. Misschien was ze ook gewoon een beetje bang. Na een uur lopen waren we nog niemand tegengekomen. Het geknor in de verte kwam van een troep wilde zwijnen.

'Even roepen en ze zijn weg,' zei ze.

Maar als je in je eentje liep, kon het toch iets angstwekkends hebben.

Af en toe stopte ze en greep naar haar camera. Ze fotografeerde gaten in het bos.

'Of gaten in het landschap. Mijn obsessie.'

'Niets anders?'

'Nee. Alleen gaten.'

'Nooit personen?'

'Nooit dieren, nooit wezens en nooit iets wat gesloten of onafgebroken is.'

'Vreemd.'

'Dat is de bedoeling: vreemd.'

Op de terugweg boog ze zich toch over een diertje, maar niet om het te fotograferen. Het was een torretje dat op zijn rug lag. Met een takje zette ze het terug op zijn poten.

'Alweer een goeie daad verricht. En dan komt dat

torretje zo dadelijk thuis en zegt dat God hem gered heeft.'

Ik keek haar aan, schoot in de lach. Ze was onvoorspelbaar, misschien ook onbevangen, jong in ieder geval, drie-, vier-, hooguit vijfendertig jaar, de leeftijd waarop je de wereld naar je hand denkt te kunnen zetten, of op z'n minst de mensen om je heen.

*

Die avond struinde Zane weer achter haar aan, het park in, het bruggetje over, naar een zitbank in het prieel. Romantisch voor zo'n kaalkop: minnen onder een volle maan.

De volgende morgen kwam hij bij mij aan tafel zitten. Toen een kwartier later Ute verscheen, stond hij op. Ute droeg het dienblad naar buiten om in de ochtendzon op het terras van de oranjerie te ontbijten; hij liep achter haar aan, en ik hoorde haar zeggen: 'Weg, weg. We vormen geen stel, hoor, we zijn niet *getrouwd*.' Toen kwam Zane weer tegenover me zitten.

Een halfuur later stond ik Ute op te wachten, voor het kasteel. Ze maakte een licht geagiteerde indruk. De wandeling voerde ditmaal noordwaarts in plaats van zuidwaarts, haar loopritme lag hoger dan de vorige dagen; het was alsof ze het kasteel en haar bewoners zo snel mogelijk achter zich wilde laten. Ik zei met opzet niets.

De lanen waren breder en rechter in het noordelijke bos. Ze plukte sint-janskruid, vermaalde tussen duim en wijsvinger een blaadje en likte de snippertjes op. Goed tegen alle pijnen, zei ze, en tegen alle kwellingen van het gemoed.

Kilometers verderop knoopte ze de veters van haar laarzen steviger vast. Halfhoge zwarte laarzen, met schier eindeloze veters.

'Het duurt vijf minuten voor ik ze losgeknoopt heb. Dat geeft me de gelegenheid me af te vragen of ik met de juiste man in de slaapkamer ben beland. Het duurt tien minuten voor ik ze weer aangeregen heb. Dat geeft me de volgende morgen de gelegenheid om me af te vragen of ik die man nog een keer wil zien.'

'Heb je dat altijd?'

'Wat?'

'Dat weldoordachte.'

'Ja. Klopt.' Maar dat *stimmt* klonk onzeker.

Op de terugweg bleef ze staan, midden op de laan, geschrokken leek het, geschokt.

'Ik heb iets ongelooflijks gedaan. Iets ongehoords. Iets verschrikkelijks.'

'Toe maar.'

'Jij grapt, jij grinnikt, maar mijn hele leven hangt ervan af.'

'Je maakt me nieuwsgierig.'

'Stom, stom, stom.' Ze sloeg met haar platte hand op haar voorhoofd.

Zonder condoom, veronderstelde ik. Zover was ze toch inmiddels met Zane? Vergeten in het vuur van de toenadering, of doelbewust overgeslagen, uit angst dat het vuur zou doven.

'Ik gaf hem mijn nummer.'

'Je wat?'

'Nummer.'

'Je nummer van wat?'

'Mijn mobieltje.'

'Ja god, daarvoor kom je in de hel.'

'Je hebt er geen idee van hoe erg dit is.'

'Voor wie?'

'Voor mij!'

Toen hoorde ik voor het eerst over de Boss.

*

Zo noemde ze hem: '*Der Boss*'. Ze leefde al ontzettend lang met hem samen. Zeven jaar. Bijna acht. Nog in de communistische tijd was hij uit Tsjechoslowakije naar Oost-Berlijn gekomen. Kort na de val van de Muur was hij een computerbedrijfje begonnen. Hij barstte van de ideeën, die hij languit op bed, met de laptop op schoot, uitvoerde. Hij was liggend rijk geworden.

Hij was een stuk ouder dan zij. 'Ongeveer even oud als jij.' Hij regelde de exposities voor haar, de afwerking van haar foto's, de verkoop, de financiën. Hij nam de opdrachten aan, reed haar naar locaties. Terug in Berlijn deed hij de inkopen, kookte hij.

'Ik kan niet zonder hem, ik ben niets zonder hem.'

'Zei jij niet: *Der gute Mensch ist autonom*?'

'Wanneer ik thuis ben, blijft hij thuis. Wanneer ik in de bossen loop of op het land, loopt hij mee. Wanneer ik ergens alleen naartoe moet, controleert hij mijn gangen.'

'En hij liet je voor vijf, zes maanden naar Schloß Freywalde vertrekken...'

'Zijn fout. Hij had de opdracht voor het Feiningerproject aangenomen. Pas later hoorde hij dat ik hier op een atelier moest werken en dat hij niet welkom was in het kasteel. Sindsdien belt hij om het uur.'

Ik had haar dikwijls met haar mobieltje tegen het oor gedrukt gezien. 's Avonds, voor ze aan tafel ging. Halverwege de maaltijd. Wanneer ze met trage, grote stappen naar haar kamer terugliep. Midden op de dag ook. Maar nooit 's morgens, in de bossen.

'Hij staat laat op, tegen een uur of twaalf. Hij belt tot vier uur in de nacht. Hij is de enige die mijn nummer heeft. De lijn moet vrij blijven. Voor hem.'

'Zane zal je niet lastigvallen met lange gesprekken.'

'Maar als hij een keertje belt ben ik de klos. Betrapt door de Boss. Via een systeem in zijn computer kan hij nagaan wie mij belt, wie ik bel en hoe lang. Als hij merkt dat ik een paar keer door dezelfde persoon ben gebeld, schiet hij me dood.'

'Zeg dat nog eens?'

'Dood. Hartstikke dood.'

Mijn lach echode door de bossen.

Een gangsterliefje. Vandaar die vuurrode haren!

'Ik weet niet welk soort boeken je leest, maar je moet ze wel met een korreltje zout nemen.'

'Ach du, Mensch.'

'Heeft hij een wapen of zo?'

'Ik praat niet meer met je. Ik zie te veel ironie in je ogen. Sarcasme. Westers sarcasme.'

*

Diezelfde dag vertrok ze voor twee weken naar Berlijn.

Ze belde me driemaal op om te vragen of Zane naar andere vrouwen keek. Alle keren fluisterde ze, alle keren hoorde ik het water uit de spoelbak lopen. Ze telefoneerde vanaf het toilet.

Ik verloor mijn geduld.

'Luister eens, ik ben geen vopo, ik ga Zane niet bespioneren.'

'Dat doe je wel. Voor mij.'

'Waarom zou ik?'

'Daar hebben we het nog wel eens over.'

Gek genoeg ging ik toch bij Zane op bezoek, misschien niet om hem te bespioneren, maar laten we zeggen uit nieuwsgierigheid, wat in dit geval op hetzelfde neerkwam.

Hij zat op een kruk in het midden van zijn atelier. Het was prettig koel in de fabriekshal. Hij vreesde de kou, die ongetwijfeld komen zou. Een ruimte van twintig meter hoog kon je niet verwarmen. Hij vertelde me dat zowaar, zomaar uit zichzelf, wijzend naar de noordwand, die voor driekwart uit glas bestond.

Zijn werk vorderde. Hij bouwde een verspiederhut na. Overal langs de rand van het bos stonden van die hutten, houten hokken op hoge staken, voor jagers. Vanuit de kijkgaten konden ze dan schieten op het wild, op de reeën, herten en wilde zwijnen die het bos verlieten en de akkers overstaken. In de communistische tijd werden die hutten dag en nacht door vopo's gebruikt. In de buurt wemelde het van de geheime legerplaatsen, van vliegvelden en ondergrondse bunkers waar kruisraketten lagen opgeslagen. Het gebied moest constant bewaakt worden. Zane wist langzamerhand uit eigen waarneming dat rond Jüterbog hele divisies gelegerd waren geweest, Oost-Duitsers, Polen, Tsjechen en vooral Russen – ik moest maar eens met hem meelopen. Hij liep hele middagen of fietste; in een bijgebouwtje van de bruinkoolfabriek had hij een oude fiets gevonden.

Langs de wand van het atelier hingen de schetsen die hij onderweg had gemaakt, met potlood of met waterverf. Die aquarellen, vlekkerig, onaf en toch trefzeker, vond ik interessanter dan het eigenlijke kunstwerk. De hut, een meter of zeven hoog, bouwde hij boven een prikkeldraadversperring. Twee van de poten stonden in het oosten, twee in het westen. Ooit waren de hutten een instrument van de repressie geweest, nu dienden ze om zonder kleerscheuren over het prikkeldraad te komen. Hij knutselde graag 'aan dat soort ideeën'.

De voorstudies waren minder symbolisch. Steeds weer had hij met een paar haastige penseelstreken of potloodlijnen een verspiederhut op papier gezet. Alleen perspectief en lichtval verschilden. Hij had ze vanaf de akkers geschilderd, vanuit het bos, vanaf het westen, het oosten, van onderen of van boven. Zoals Feininger obsessief hetzelfde stoomschip, dezelfde zeilboot of dezelfde Oostzeekust van Pommeren tot onderwerp koos. Of in Weimar steeds naar het dorp Gelmeroda terugkeerde. De spitse toren van de kerk van Gelmeroda tekende en schilderde hij zeker honderd keer.

Terwijl ik de studies bekeek, een voor een, langdurig, zei hij: 'Ik heb het niet zo op mensen. Je moet het me niet kwalijk nemen. Mijn ouders waren hippies. Ik ben opgegroeid in een hippiekolonie in Californië. Altijd vrijende, hangende, stickies rokende volwassenen om me heen. En gewauwel, eindeloos, oeverloos gezeik. En vieze, half verwaarloosde kinderen. Op mijn achttiende ben ik de woestijn in getrokken, op mijn negentiende heb ik me in Arizona gevestigd. Ik houd van de stilte, ik wil zo min mogelijk mensen om me heen. Ik weet dat ik bot en grimmig overkom. Maar jou vind ik oké. Eerlijk waar.'

'En Ute?'

'Ik krijg geen hoogte van haar. Ik wil haar niet, als ze dat maar weet. Ik wil haar niet. Ik ben getrouwd, ik heb een kind, een dochter van zes. Ik haat hippies, ik haat de vrije liefde. Zeg dat maar tegen haar.’

Ik dacht: ik kijk wel uit, als je haar iets te zeggen hebt, dan doe je dat zelf maar.

⋆

Ute belde me ’s avonds.

‘En?’

‘Ik trof hem met drie snollen op een matras aan. Mooie meiden, naakt.’

‘*Ach du, Mensch.*’

‘Hij werkt aan een vlammend kunstwerk tegen het communisme en tegen de repressie.’

‘Dat zal dan wel shit zijn. Als kunst niet over liefde gaat, gaat ze nergens over.’

‘O. Gaan de gaten die jij in het landschap fotografeert over liefde?’

‘Denk eens door. Je bent toch schrijver?’

Op de achtergrond hoorde ik een stem. Ze maakte een einde aan de verbinding.

⋆

Haar terugkomst vierde ze met een feest dat ze drie dagen lang voorbereidde. Van het personeel kreeg ze toestemming de zolder te gebruiken, wat gezien het brandgevaar op een bijna verontrustende overredingskracht duidde. Als ze wilde, kon ze iedereen ompraten. De zolder bracht ze zelf aan kant. Oude banken en overtollige fauteuils drapeerde ze met lakens. Op de dwarsbalken zette ze waxinelichtjes, op het midden van de plankenvloer bakende ze een dansvloer af, ook met waxinelichtjes. Kaarsen verlichtten de drank en de hapjes op een tafel. Een stereo-installatie zorgde voor snoeiharde technomuziek en een hese Joe Cocker. Ze had het allemaal met hulp van de conciërge, de secretaresse en het keukenpersoneel voorbereid, met Ossies dus. Met Wessies, beweerde ze, was het haar nooit gelukt. Wessies hadden geen enkele gemeenschapszin, Wessies waren eigenwijze egoïsten.

Ik werd op zaterdagavond om tien uur verwacht. Toen ik de trap beklom zag ik een door flakkerende vlammetjes verlichte ruimte waarin gemakkelijk een toneelvoorstelling gehouden had kunnen worden. Maar algauw bleek me dat Ute het hele feest voor vier mensen had georganiseerd: voor Zane, haarzelf, voor mij en voor Sean, ook een kaalkop, die voor het middernachtelijk uur altijd leek te slapen, omdat hij

’s nachts werkte. Ik vertrok niet onmiddellijk, ik verwachtte nog andere gasten, Wolfgang, de Duitse dichter, of Ragnhild, een Noorse componiste met wie ik tijdens de middagmaaltijden soms de tafel deelde. Maar toen ik drie pijpjes bier had gedronken, Sean nog niet was verschenen en Ute voor de derde maal een slow danste met Zane, vond ik het welletjes. Al die poppenkast voor niks, ik had er genoeg van om nog langer als decorstuk te dienen.

De volgende morgen liep ik weer met haar door de bossen, alsof er geen vorige avond was geweest.

‘En,’ vroeg ik, ‘*was the night sweet and tender*?’

‘Tijdens het dansen begon ik spontaan te menstrueren.’

‘Dat krijg je ervan.’

‘Waarvan?’

‘Je moet niet alles plannen. Liefde laat zich niet voorbereiden. Het overkomt je, het overvalt je.’

‘Ik wist in zeven seconden dat ik van Zane hield. De eerste avond al.’

‘Voor hem was het anders.’

‘Ben je gek. Hij wist het in vier seconden.’

‘Geen twijfel mogelijk?’

‘Nee. Nee.’

Ik zag hem het park in lopen, nadat hij aan tafel als

een bootwerker had zitten bunkeren. Niet echt een flirt, laat staan een begin van verliefdheid... Maar misschien schatte ik hem verkeerd in en was hij een meester in het verbergen.

» III «

Ute nam deel aan een groepstentoonstelling in Berlijn en vroeg me mee te gaan naar de opening. Een maand lang had ik iedere middag, iedere avond en ieder begin van de nacht zitten schrijven. Ik wilde er wel even uit. Ook Zane had ze gevraagd mee te gaan. Hij had ja gezegd, maar wendde op de dag zelf buikgriep voor. Dat luchtte haar zichtbaar op; ik vermoedde dat ze een confrontatie vreesde tussen hem en de Baas.

De opening was om zeven uur 's avonds. Ute had onze verplaatsing even grondig voorbereid als haar feest op zolder. Ze had een taxi besteld die om precies vijf uur voor Schloß Freywalde stond. Hij reed ons in vijfentwintig minuten naar het station van Jüterbog zodat we precies zes minuten de tijd hadden om de treinkaartjes te kopen en naar het perron te lopen. Om 17.31 zaten we in de trein naar Berlijn – ze had de vertrektijd telefonisch opgevraagd; om vijf voor halfzeven daalden we de trappen van het Hauptbahnhof af, om vijf over halfzeven stapten we op de U-Bahn richting Westkreuz. Vier haltes en acht minuten later verlieten we de metro, om kwart voor zeven wurmden we ons door de mensenmenigte in het metrostation Friedrichstraße-Hackescher Markt, om tien voor zeven stapten we de galerie aan de Linienstraße binnen. Onderweg had Ute geen woord gezegd, alleen voortdurend op haar horloge gekeken. Ik begon me af te vragen of ze niet ongelooflijk bang was voor het ongewisse.

De muren van de galerie waren ruw gelaten. Spotjes wierpen een scherp licht op de scheuren en putten in het pleisterwerk van de plafonds. De brede voordeur en de deuren aan de achterzijde waren geschuurd, niet geverfd. Ook de beschadigingen van de leistenen vloer waren geaccentueerd. De ruimte was een halve eeuw lang een slagerij geweest: van in de jaren dertig tot en met de communistische tijd.

Ute was met zes staande zwart-witfoto's op de groepstentoonstelling vertegenwoordigd. Drie toonden gaten in de stad, drie gaten in de bossen bij Freywalde. Ik kon het werk niet goed bekijken, er waren zeker honderd mensen op de opening. Het type mannen beviel me niet, veel kaalgeschoren schedels, veel zwarte kleren, veel leer. Ik kon ook niet goed tegen de klamme hitte, de sigarettenrook en de technomuziek, die zo hard dreunde dat ik mijn maagwand voelde trillen. Ik liep naar buiten.

Overal zaten mensen op straat, op stoeltjes, kistjes, in de vensterbanken of op het trottoir. De Linienstraße was één lange kunstgalerie. Links en rechts waren buurtwinkels of superettes tot tentoonstellingsruimtes omgetoverd, meestal op een simpele, goedkope, rudimentaire manier. De galeries bleven tot laat in de avond open, ik kon overal naar binnen lopen. Ik zag metershoge dikbeschilderde doeken in de geest van Anselm Kiefer, klein, precies schilderwerk dat met een knipoog aan de Renaissance refereerde, foto's, veel foto's, sommige op plexiglas gespoten, Hopper-achtige schilderijen van cafés of wachtruimtes in het voormalige Oost-Berlijn, en popart. In de ene galerie zat een cellist suites van Bach te spelen, in de andere klonk Duitse rock en in de derde stortte Radiohead daverende gitaarsolo's over de bezoekers uit. Het wonderlijkste was de sfeer: iedereen trad in contact met iedereen. Ook ik werd voortdurend aangesproken, om mijn mening gevraagd of – wanneer men mijn accent hoorde en opperde dat ik uit Nederland kwam – over de prijs van de xtc waarvan ik ongetwijfeld een voorraadje op zak had.

De meeste vrouwen waren als Ute: zwaar opgemaakt, met een plamuurlaag blanketsel op voorhoofd en wangen en met een knallende kleur haar. Ze leken ook allemaal honger te hebben en waren angstwekkend mager.

*

De Baas had een bierbuik. De knoopjes van zijn overhemd stonden op springen. Zwart lichtgewichtkostuum van Hugo Boss, halfhoge laarzen van krokodillenleer met een rits op de enkel. Zijn kruin was kaal, in zijn nek hing vet haar dat zo te zien nooit meer gekamd werd. Hij was niet erg lang, reikte niet verder dan tot de schouder van Ute, droeg een bril met een zwart montuur en getinte glazen. Het akeligste vond ik wanneer hij zijn mond opendeed. Zijn tanden waren volslagen bruin – hij rookte als een ketter – en hij had een stem als een scheermes. Maar het verbazingwekkendste aan hem vond ik dat hij bestónd, dat hij niet het product van Ute's verbeelding was en precies het stripverhaaluiterlijk had dat ik me bij *der Boss* had voorgesteld.

Hoewel het nog tamelijk vroeg in de avond was, reed hij ons naar Schloß Freywalde terug. Warme avondlucht woei de auto binnen, het gefluit van de wind vermengde zich met de muziek – weer techno. Ik zat op de achterbank, Rainer – het zwaarlijvig wezen heette Rainer – en Ute rookten stickies. Af en toe zongen ze, heel luid, dan zogen ze weer om beurten aan het stickie. Het contrast was de snelheid: Rainer hield angstvallig de maximumsnelheid aan. Gebood een bord als maximum 60, dan daalde de snelheidsmeter tot 55.

De uniformen waren veranderd van kleur, riep Ute me toe, maar de mentaliteit onder de pet was dezelfde gebleven: in het vroegere Oost-Duitsland werden twee keer zoveel boetes uitgedeeld als in West-Duitsland.

'Merkwaardig volkje hier hoor,' snerpte Rainer.

Dat vond ik ook.

Bij het afscheid beet hij me met zijn scheermesstem toe: 'Pas op Ute.' En toen ik grinnikte, zei hij: 'Dat draag ik je op. Zij heeft bescherming nodig. Iedere man wordt gek van haar benen.'

*

Na het werk dronk ze een biertje, een gewoonte die ik er ook op na hield. Soms belde ze me om zeven uur en vroeg: '*Fertig?*'

'Voor vandaag wel.'

Op haar atelier, in het voormalige koetshuis, stond

het flesje klaar, op de juiste temperatuur, acht graden, met een omgespoeld glas ernaast. Iedere keer kwam het bier uit een andere streek; de flesjes waren ingekocht door de Baas.

'Ik houd van bier, niet van jullie bocht: Heineken. Dat mag wat mij betreft niet eens de naam pils dragen.'

Tegen de wand stonden foto's, manshoge foto's, op karton geplakt. Ik ging er recht voor zitten, met het glas in de hand.

'En elk zijn is tot niet zijn geschapen.'

Kijkend naar haar werk schoot me die versregel van J.C. Bloem te binnen.

Hetzelfde dacht ik tijdens de voorbezichtiging van de Feiningers in het Berlijnse museum. 'En het leven vliedt gelijk het vlood,/ En elk zijn is tot niet zijn geschapen.'

Het gehele werk van Feininger bestaat uit het langzaam verdwijnen van het zichtbare.

*

'Je gelooft dat ik het allemaal speel: de liefde.'

We liepen weer, in het volle licht van de morgen.

'Is dat dan niet zo?'

'Je zou eens moeten voelen.'

Ze greep mijn hand, duwde die onder haar laag uitgesneden body. Ik voelde een stevige borst.

'Gek word ik ervan. *Verrückt*.'

'O ja, we lijden allemaal wel eens aan verwarring.'

Ik trok mijn hand terug.

'Wat moet ik doen om je te overtuigen?'

'Ik ben niet degene die overtuigd moet worden. Ik zou zeggen: probeer het eens bij Zane.'

'Hij ontwijkt me.'

'Je lijkt me niet iemand die zich daardoor laat afschrikken.'

'Neen.'

Ze zei het plechtig: 'Neen.'

Een kilometer verderop bleef ze staan. Ze fotografeerde een gat in het bos dat beschenen werd door een kegel zonlicht. Ze deed er lang over, zeker een uur.

'Wat is liefde eigenlijk?'

We liepen weer, en ze zuchtte.

'Hetzelfde als kunst.'

'Dat wil zeggen?'

'Een onbekend avontuur in een onbekende ruimte.'

'Briljant.'

'Het is van Mark Rothko.'

'Was dat niet een schilder die slecht eindigde?'

'Hij sloeg de hand aan zichzelf.'

'En Feininger?'

'Die is gewoon in zijn bed gestorven.'

'Goddank. Het ellendige van kunst vind ik het wanhopige.'

» IV «

Van de ene op de andere dag brak de herfst aan. Niet met regen, niet met storm. De temperatuur daalde tot onder de tien graden, een week later waren de bossen geelbruin.

Voor Ute en voor alle Ossies in Schloß Freywalde braken de beste dagen van het jaar aan: met z'n drieën, vieren, vijven trokken ze eropuit om paddenstoelen te plukken. Wessies of buitenlanders werden geweerd, die kenden het verschil tussen giftige en eetbare soorten niet.

We mochten wel van de paddenstoelen proeven. Die werden 's avonds in een grote pan op een houtvuur gebakken, voor het bordes van het kasteel. Wijn erbij, brood, en verder niks.

'In onze fantastische jeugd in het socialistische paradijs,' schertste Ute, 'waren paddenstoelen gratis. Iedereen kon ze plukken, iedereen kon ze bakken. Dat deden we dan ook; we hielden paddenstoelenfeesten.'

Anderhalve kamer in een huurkazerne, een Trabant voor het enige uitje naar bossen van Brandenburg, zo stelde ik me haar jeugd voor.

Ik had het mis.

'Iemand die perfecte achten draaide op het ijs hoefde in het dagelijks leven niets te vrezen. Mijn vader had het juiste beroep in de juiste tijd: hij was schaatser. Kunstrijder, later trainer. Dat betekende: een vijfkamerflat in Berlijn en een huis in de Harz.'

'En je moeder?'

'Katten. Haar leven draaide om haar drie katten. Lekker rustig; mijn broertje en ik bestonden niet voor haar.'

'Ik ken dat,' zei Zane.

Hij was bij ons komen staan. Het was de eerste keer dat hij uit zichzelf het woord nam, in het Engels weliswaar, maar zo luid en duidelijk dat Ute hem begreep.

'*Tell it, Zane.*'

Haar stem sloeg over, haar ogen vroegen om een monoloog die wat haar betreft tot diep in de nacht mocht duren.

'Hippies. Ik werd grootgebracht door hippies.'

'Hè bah. Met gitaren en zo?'

‘Exact.’

‘En naar wat voor muziek luister je nu?’

‘Bach.’

‘Begrijp ik. Mijn broertje speelt viool in de Berliner Philharmoniker. Om dezelfde reden. Ikzelf luister naar techno.’

‘Daar krijg ik hoofdpijn van.’

‘Niet wanneer je naast me ligt, Zane. Wedden?’

Hij lachte, hij lachte zowaar. En ik liep weg.

*

Tot zijn zestiende jaar stond het voor Lyonel Feininger vast dat hij in de voetsporen van zijn ouders zou treden en musicus zou worden. Door zijn vroegrijpe vioolspel gold hij als een wonderkind. Toen hij naar Duitsland vertrok, was dat om zijn muziekstudie voort te zetten.

Eenmaal in Hamburg koos hij een andere richting en schreef hij zich aan de kunstnijverheidsschool in. Het jaar daarop trok hij naar Berlijn, waar hij zijn studie aan de Pruisische Kunstacademie vervolgde.

Als schilder miste hij de muziek. Hij bracht soms zes uur per dag achter de piano door om het complete *Wohltemperierte Klavier* uit te voeren, alle achtenveertig preludes en fuga’s. Bach was de kunstenaar naar wie hij zich zijn hele verdere leven richtte; Bach was zijn leidraad, zijn inspiratiebron. Complex en transparant – zo wilde hij ook schilderen.

Ik las die avond weer over Feininger. In zijn leven trof ik zoveel standvastigheid aan dat ik er steun aan ontleende. Hij had iets zuivers, ook al liet hij zijn vrouw en zijn twee kinderen in de steek voor de veel jongere Julia, met wie hij ten slotte ook Duitsland ontvluchtte.

'Ik ben een mens die met zijn tijd breken moet om te kunnen leven. Mag ik daarbij ook áchter de tijd blijven?'

Op slechts één moment was Feininger bíj de tijd: toen hij op het punt stond naar Amerika terug te keren. Toen schreef hij aan zijn zoon: 'Ik voel me vijfentwintig jaar jonger sinds ik weet dat ik naar een land ga waar fantasie in de kunst en abstractie in de vormen niet als absolute misdaden gelden, zoals hier.'

*

Ik werd wakker van een bonzend geluid dat uit de aangrenzende kamer kwam. De wekker wees twintig over zeven. Een stem riep op het ritme van het gebons: 'Ja... ja... ja...' Het was onmiskenbaar háár stem.

Het gesteun ging gepaard met harde kletsen. Ik vroeg me af waar ze hem sloeg: op zijn borst, zijn schouders of zijn billen.

Mijn kamer grensde links aan de hare, rechts aan die van Zane. Ik sliep letterlijk tussen hen in.

'Ja... ja... ja...'

Ik trok het dekbed over mijn hoofd en duwde het bovenste deel tegen mijn oren.

Tien minuten later ging de wekker af. Ik sprong uit bed, stapte onder de koude douche, schoor me en begreep niet goed waarom het gezicht dat ik in de spiegel zag aarzelde tussen wrevel en boosheid.

'Rust,' zei ik tegen mezelf. 'Ik wil verdomme rust.'

Was dat het? Of voelde ik me plotseling een oude man aan wie het leven goeddeels voorbijging?

Uiteindelijk worden we dat allemaal: meer toeschouwer dan deelnemer.

*

Ik begon die morgen vroeger dan gewoonlijk aan mijn wandeling. Ik koos ook niet het bos maar een pad dat langs de open akkers voerde. Voorbij het dorp, dat uit een kerk, een café en tien huizen bestond, haalde Ute me in.

Een uur lang bleef ze naast me lopen, zonder een woord te zeggen.

De zon scheen, een zachte herfstzon die de akkers een warme bruine tint gaf en mijn slechte humeur verdreef.

Ze maakte meer foto's dan gewoonlijk.

'Wij kijken nu door een spiegel,' zei ik, toen ze de zoeker van de camera tegen haar rechteroog drukte, 'maar dan van aangezicht tot aangezicht.'

'Mooi.'

'Paulus. 1 Korintiërs 13:12.'

'Maakt het er niet slechter op.'

'Door die tekst liet Feininger zich inspireren.'

Ze drukte af en zei: 'Is het niet: "Nu kijken we nog in een wazige spiegel, maar straks staan we oog in oog"?'

'Misschien.'

'Dan volgt: "Nu is mijn kennen nog beperkt, maar straks zal ik volledig kennen, zoals ik zelf gekend ben."'

'Was je niet communistisch opgevoed?'

'Toen ik een jaar of veertien was, ging ik iedere donderdagavond naar de Evangelische Kirche. Het was de enige plek waar je iets anders hoorde.'

'Gevaarlijk voor een rood meisje.'

'Niet echt. Tegen de Kerk durfden ze niets te doen. Ik denk wel dat ik gespot werd en op de lijst van verdachte personen kwam te staan. En als je dan ook nog subversieve dingen deed, was je de klos. Maar ik hield me buiten het protest.'

'Wat deed je toen de Muur viel?'

'Bier drinken op bed. Ik wilde er niet aan meedoen.'

'Geen zin in vrijheid?'

'Meer dan. Maar ik had ook direct in de gaten dat we de wereld zouden afbreken waarin we opgegroeid waren. En die wereld mocht dan zo monotoon en troosteloos zijn als de woonkazernes in de nieuwbouwwijken, het was wel ónze wereld.'

'Het lijkt alsof je moeite hebt met de nieuwe realiteit.'

'Dat heb ik ook.'

'Ik hield je voor een vrijgevochten meid.'

'Kan die dan geen heimwee hebben?'

'Wat mis je?'

'Bij Wessies gaat het niet om wat echt is of waar, en evenmin om wat verteld of gezien moet worden. Bij Wessies gaat het alleen om wat verkoopbaar is, wat succes kan hebben. Er bestaat geen verschil tussen kapitalisme en hoererij. Om aandacht te trekken zijn Wessies tot alles in staat. Behalve tot waarachtigheid.'

'Is Zane zo? Ben ik zo?'

'Jullie zijn de uitzonderingen.' En na een veelzeggende stilte: 'Dat hoop ik tenminste.'

*

Luide petsen, met de vlakke hand.

'Ja... ja... ja...' Alsof ze een paard de sporen gaf.

Bedoelde ze dat met waarachtigheid?

Ik hoorde het de volgende morgen weer, en de middag daarop, tegen zessen.

'Heb je last van ons?' vroeg ze een paar dagen later.

'Ik schrijf met de koptelefoon op. Ik hoor alleen muziek.'

'Ah, goed, goed...' Een gemeen lachje. 'Ik moet het iedere dag doen. Anders kom ik niet tot werken.'

'Je praat erover als over gymnastiek.'

'Dat is het in wezen ook.'

'Geen last van de Baas?'

'Hij belt steeds vaker. Hij vermoedt iets. Maar: *Wer zweimal mit derselben pennt/ gehört schon zum Establishment.*'

Ze lachte er zelf het hardst om. En ik dacht: eigenaardig toch dat politieke omwentelingen altijd gepaard gaan met verende matrassen. Alsof de vrijheid telkens opnieuw uitgevonden moet worden. En beproefd.

» v «

Op een van de laatste windstille herfstdagen las ik tijdens een *Wandertag* in de openlucht voor, op bloeiende heide. Startpunt van het dagje zwerven was een dorpscafé met jachttrofeeën aan de wand. Na de koffie liep ik, vergezeld door een zestigtal wandelaars, door de bossen naar een plek die gekozen was om haar weidsheid, een tocht van twee uur. Onderweg hoorde ik slechts af en toe een stem. Men liep hier om tot zichzelf te komen en met grote ernst de zuivere lucht in te ademen.

De twintig- en dertigjarigen waren in de meerderheid. Op de hei strekten ze zich op de brem uit, haalden een belegd broodje en een flesje water uit de knapzak en begonnen aan de lunch. Ik moest op een omgekeerde veilingkist gaan staan die een van de organisatoren had meegenomen en kreeg een microfoon in de hand gedrukt. De beide boxen, niet groter dan een schoenendoos, deden mijn stem verrassend helder klinken; een andere organisator bediende de meegenomen versterker, die was aangesloten op een accu. Op de vraag hoe lang ik moest lezen was het antwoord stellig geweest: minstens een uur.

Ik koos de passages die over de zaterdagmiddagen gingen waarop ik samen met mijn vader naar boten keek, en verbond ze met twee uitspraken van Feininger. Met: 'Alles komt uit heimwee voort.' En: 'Alles begint met een droom.' Feininger had op zijn kubistische schilderijen dikwijls de modelscheepjes afgebeeld waarmee zijn zoons op een vijver of een meertje voeren. Dat kinderspel riep bij vader Feininger de zeereis van New York naar Hamburg in herinnering aan boord van een stoomschip dat nog als een bark was getuigd. Heimwee en herinnering waren de constanten van zijn kunst, en misschien wel van alle kunst.

Soms floot een vogel, soms zoemde een hommel en soms knisperde het broodje waarin een toehoorder de tanden zette. Maar geen gekuch, geen gefluister. De meeste aanwezigen sloten de ogen om geconcentreerder te kunnen luisteren en sneller te wennen aan mijn accent, een accent waarvoor ik me schaamde maar dat zij exotisch vonden. Dat zeiden ze me tenminste na afloop.

Zane had verstek laten gaan. Ute zat ver van me af, met een kaarsrechte rug. Ik had verwacht dat ze mijn voordracht en de hele middag straal belachelijk zou vinden. Op de terugweg kwam ze naast me lopen en zei met een kort knikje: 'Het was goed. Zuiver en goed.'

Zuiver was een woord dat ik eigenaardig vond klinken uit haar mond. En op hetzelfde moment vroeg ik me af of ik me niet verschrikkelijk in haar vergiste.

*

Het jachtseizoen was begonnen. In het dorp bij het kasteel werd het eerste geschoten wilde zwijn aan het spit geroosterd. Ook de kunstenaars van Schloß Freywalde waren welkom.

Tegen het vallen van de avond dronk ik op het dorpsplein een paar glazen wijn met Ute en at het kruidige vlees dat in smalle reepjes was afgesneden. De boeren en boerinnen dansten als op een schilderij van Jan Steen.

'Ik kan je niet volgen,' zei ik, toen de wijn me loslippig had gemaakt.

'Mooi.'

'Het getuigt ongetwijfeld van een verkeerd soort nieuwsgierigheid, het gaat me überhaupt niks aan...'

'Stop. Geen omwegen, zo gaan we niet met elkaar om.'

'De Baas maakt het eten voor je klaar. Geeft je, als je niet thuis kunt eten, Toscaanse olijfolie en Provençaalse wijnazijn mee, zodat je je salade met de beste ingrediënten kunt klaarmaken. Hij verzorgt je als een kind. Je laat je dat welgevallen. Je kunt niet koken, je kunt niet voor jezelf zorgen, je denkt pas aan eten en inkopen doen als je honger hebt. Toch zoek je toenadering tot Zane.'

'Wat is daar merkwaardig aan?'

'Alles.'

'Luister...' Ze schudde haar rode haren los en toverde een glimlach tevoorschijn die de opperste staat van gelukzaligheid verraadde of op zijn minst een nog lang niet geluwde euforie. 'Champagneseks.'

Zo simpel was het: ze had champagneseks met hem.

'En echte champagne, niet goedkope sekt.'

'Meer is het niet?'

'Alsof dat niet voldoende is! Méér kan een mens toch niet verlangen?'

Ik at nog een stukje van het wildezwijnenvlees en schudde langzaam het hoofd. Geen generatie leek op een andere. Voor de mijne sloot hartstocht onverschilligheid uit, voor de hare wisselde je hoog met laag af en heftig met laconiek, al naargelang het je uitkwam.

'Denk je er wel eens over... wanneer je na een paar glazen wijn een beetje voor je uit zit te staren... om samen met Zane het eerste het beste vliegtuig te nemen naar, noem eens wat, de Bahama's of Hawaï of een ander eiland waar de Amerikaanse vlag wappert, om daar aan een nieuw leven te beginnen...'

Ze keek me met grote ogen aan. 'Ben je gek. Wanneer je de melk kunt krijgen, waarom zou je dan de hele koe nemen?'

*

Champagneseks.

Zane had niet dezelfde ervaring.

Ik zocht hem de volgende middag op. Het was alweer weken geleden dat ik zijn atelier was binnengegaan, ik had hem soms aan tafel getroffen, in het kasteel, maar daar had hij even weinig gezegd als tijdens onze eerste maaltijden.

Ik bekeek zijn tekeningen en schetsen – er waren weinig nieuwe bij gekomen – en beklom de verspiederhut, die hij inmiddels nagenoeg had afgebouwd en die op transport wachtte naar de expositieruimte in Potsdam.

Hij putte zich uit in verontschuldigingen, hij had bij mijn lezing willen zijn, de belangstelling die ik voor zijn werk toonde had hem nieuwsgierig gemaakt naar mijn proza, hij was een lezer, een fanatieke, en een schrijver die uit eigen werk voorleest, dat is net zo fascinerend als een schilder die een zelfportret maakt. Over één hindernis kon hij zich echter niet heen zetten: het gezelschap van mensen.

'Het is' – hij wees naar het prikkeldraad onder de hut – 'iets dat ik absoluut niet kan overwinnen.'

Ik zei dat ik er niet op gerekend had dat hij zou komen en dat ik het hem niet kwalijk nam.

'De sfeer was bovendien flowerpower. Je zou ervan gegruwd hebben... Ute was er.'

Op haar naam reageerde hij alsof ik een blik gif opentrok.

'Ze wil het elke dag doen.'

Soms vaker, 's morgens, 's avonds. Een van de twee keren kwam hij niet klaar. Haar aanmoediging bestond uit slaan. Dat ergerde hem vooral omdat hij haar in een reactie moedwillig pijn deed. Van een aardige man – hij dacht tenminste van zichzelf dat hij redelijk aardig was – veranderde hij in een lomperik, duwde hij zijn vinger in haar anus en zo ruw dat ze het uitschreeuwde. Haar verdiende loon, schoot hem dan te binnen, en dat vond hij ontzettend ziek van zichzelf.

Ieder uur belde de Baas. Dan moest hij zich stilhouden... niet praten, niet hoesten, niet bewegen. Ze nam altijd op, ook als hij in haar was en zij al begon klaar te komen. Ze stopte gewoon met neuken, praatte vijf, tien minuten met de Baas, beëindigde het telefoongesprek met zoen, zoen, zoen, en sloeg hem op de borst om hem weer aan te moedigen. '*Weiter.*' Hij haatte dat, hij haatte haar.

'Waarom gaan jullie dan met elkaar om?'

Voor haar, veronderstelde hij, was het nieuwsgierigheid. Hoe zijn die mannen in Amerika? Hoe doen ze het? Hoe gedragen ze zich? Ze had een welhaast pathologische fascinatie voor 'de' Amerikaan, niet voor hem als persoon.

'Ik geloof dat ze meer op jou gesteld is.'

Hem vond ze gesloten en stug. Hij kwam uit de Nieuwe Wereld, en dat nieuwe wilde ze onderzoeken, zo'n beetje als een Chinees die dolgraag een hamburger wil proeven. De rest deed er voor haar niet toe.

'En voor jou? Wat doet er voor jou toe?'

Ze was op zijn weg gekomen. Hij had haar niet kunnen ontlopen. Een fataliteit, zo voelde hij het althans. Ze was voor hem 'krankzinnig' mooi. 'Een Klimtvrouw.' Door die enorme bos rood haar, door de scherpe lijnen van haar gezicht, door haar taille, door haar benen, die hij wel honderd keer betast had, van beneden naar boven en van boven weer naar beneden, omdat hij niet geloven kon dat ze zo perfect waren, van vorm, van afmeting.

Hij liet me tekeningen zien die hij van haar gemaakt had. Op al die haastige schetsen nam ze Klimt-poses aan. Voor hem stond ze model voor de Oude Wereld, voor het Europa van het begin van de twintigste eeuw, Wenen 1910, Berlijn 1920. Een vermoeide, mentaal zieke wereld. Hij vond haar manisch, neurotisch. En onweerstaanbaar.

'Ze sleept me mee,' zei hij, alsof hij daar zelf geen vat op had. 'Ze bedwelmt me,' alsof hij niet zelf haar geur opsnoof.

Hij kon niet meer slapen, dacht hele nachten aan haar. Hij kon zich niet meer concentreren op zijn eigenlijke werk en op zijn bijdrage aan het Feininger-project. Alleen al uit respect voor die Amerikaanse Duitser (of Duitse Amerikaan) wilde hij met iets goeds voor de dag komen, met iets waardevols, maar op het atelier greep hij om het kwartier naar de telefoon om haar te bellen.

'En wat zeg je dan?'

'Niks. Bijna niks. Om ieder woord dat ik in het Duits zeg lacht ze me uit. Zij praat, en ik luister zoals je naar een stem op de radio luistert, zonder naar de betekenis van de woorden te zoeken, alleen om het geluid.'

'Blumenthal, is dát het?'

'Hoe bedoel je?'

'Die naam komt érgens vandaan.'

'Daar wil ik niet over praten. En zij ook niet.'

'Waarom niet?'

'Ik ben een klankbord tegen wie ze kan zwetsen. Praten, het echte praten, doet ze met jou. Soms denk ik dat ze het met mij aangelegd heeft om jou over de streep te trekken. Ben ik degene die jouw jaloezie moet opwekken, en zo heftig dat je uiteindelijk in haar armen vliegt.'

*

Een wel heel romantische voorstelling van zaken. Ik geloofde er niets van. Als Ute ook maar iets voor me zou voelen, zou ze dat onmiddellijk zeggen. Tegenover mij nam ze geen blad voor de mond, zo goed kenden we elkaar inmiddels. Ik geloofde alleen dat ze aan aandacht verslaafd was, en bij afwezigheid van de Baas kreeg ze die van Zane en mij.

Ze betrok me in haar kring – dat was wel merkwaardig. Ze had me niet alleen aan Rainer voorgesteld, ze had me ook een keer verteld dat ik in een van haar dromen bij de Baas en haar in huis woonde. In Berlijn.

Op de opening van de tentoonstelling in Potsdam stelde ze me aan haar vader voor.

Hij was haar evenbeeld: zelfde neus, zelfde scherpte in het gezicht, zelfde grijsblauwe ogen, zelfde lange benen, zelfde lengte, en even slank. Hij sprak de hele tijd over *die Ute*, in plaats van over zijn dochter, en mat de waarde van haar werk af aan het aantal bobo's dat er een blik op wierp. Een kille man, ijzig, zelfs wanneer hij glimlachte.

Zane stelde ze niet aan haar vader voor, noch aan Rainer. Hij liep verdwaasd tussen de gasten rond en meed ieder contact, ook met de organisatoren van de tentoonstelling, en zelfs met mij. Zijn stellage trok de meeste aandacht op de expositie, de twee werelden waarin Feininger leefde had hij, zei de museumdirecteur in zijn toespraak, op een hedendaagse manier uitgebeeld, met iets van een aanklacht en met iets van hoop. Dit was: Feininger voorbij.

Ik zag dat meer in de foto's van Ute: dezelfde bezetenheid, dezelfde obsessie voor verschillen in perspectief. Maar in geen van de toespraken werd haar naam genoemd. De aandacht ging naar Zane uit, en in mindere mate naar Sean, die een paar monochrome schilderijen had afgeleverd, gebaseerd op kleuren die Feininger veelvuldig gebruikt had – gebroken geel, vlekkerig zwart, groenblauw, rood opgloeiend bruin. Alleen het motto dat hij aan zijn schilderijen had meegegeven was aardig: 'God redt ons van de gevoelvolle kunstenaars.' Een uitspraak van Feininger die de schilder met zijn eigen schilderijen weersproken had. Want was heimwee geen gevoel?

'Mijn werk vinden ze alleen spitsvondig,' zei Ute met een opgetogenheid die ik voor gespeeld hield, 'goddank nooit filosofisch. In Duitsland, Oost of West, moet kunst altijd bol staan van de wijsgerigheid. Toen ik mijn eerste foto's maakte, waren ze niet marxistisch genoeg. Klopt, ik zoek naar leegte en fotografeer wat ontbreekt.'

Zane verdween. Hij dronk drie glazen en maakte dat hij wegkwam. Buiten, bij de bushalte, rookte hij. Ook wat dat betreft had Ute hem van zijn principes afgebracht; hij rookte weer – American Spirit zonder filter.

» VI «

Gedurende een paar dagen veronderstelde Ute dat ze in verwachting was. Ze vatte het luchtig op.

'Ik voel op een prettige manier verandering in mijn lichaam. Het gloeit vanbinnen en zwelt vanbuiten. Zo'n beetje als vlak voor seks. Het is echt lekker. Ik zou je mijn lichaam een ogenblik willen lenen om je te overtuigen dat ik niet aan overspannen vrouwenromantiek lijd. De hoedanigheid maakt me nieuwsgierig. Vermoed je een moeder in me?'

'Niet direct.'

'Goed uitgedrukt. Niet op het eerste gezicht. Misschien bij nader inzien, als je de sigaretten, de drank en het strakke lijf wegdenkt. Ik heb nooit over een kind nagedacht. De Baas wilde geen kind, daarmee was het voor mij beslist. Nu sta ik voor een voldongen feit en hoef ik me niet meer af te vragen wat ik zelf wil.'

'Je kunt het altijd nog laten weghalen.'

'Over mijn lijk.'

Ze citeerde haar grootmoeder: '*Besser ein Kind auf dem Kissen als ein Kind im Gewissen.*'

De brede paden verlieten we voor de smalle, op zoek naar wilde struiken met veel kreupelhout. Iedere morgen plukten we vlierbessen, om er jam van te maken, vol ijzer, met een zuiverende werking op het bloed. Iedere morgen zei ze: 'We gaan op vlierbessenjacht.' Ze nam er speciaal een potje voor mee; als ze dat uit haar jaszak haalde, zei ze: 'Voor het kind.'

'Heb je het Zane al verteld?'

'Ben je gek. Hij merkt het vanzelf wel.'

'En dan zal hij juichen.'

'Wie weet. Van tevoren kun je niets uitsluiten. Bij niemand.'

'En de Baas?'

'Die verzuipt me in de badkuip. Maar geeft allemaal niet. Het leven moet geleefd worden.'

Op een morgen plukte ze geen vlierbessen meer. Haar gezicht – strak en bleek – vertelde de rest.

★

Voor vijf dagen verruilde ik het kasteel in Brandenburg voor een villa aan de Wannsee in Berlijn. Een beladen plek: in de villa's aan het meer hadden de kopstukken van de ss en de Gestapo gezeteld. In een van die villa's was tijdens de Wannsee-conferentie op 20 januari 1942 besloten tot de complete en systematische *Endlösung* van de joden. Bij die vredige burgermanshuizen hoorde voor eeuwig de term 'uitroeiing op industriële basis'. In 1945 was de wijk in de Amerikaanse zone van Berlijn komen te liggen. De Amerikanen hadden niet goed raad geweten met de villa's en hadden ze uiteindelijk aan enkele charitatieve en culturele instellingen geschonken.

De villa waar ik logeerde behoorde aan het Berlijnse Literaire Genootschap. Ik gaf er een lezing en nam er deel aan een debat. Het huis was kaal, verveloos en uitgeleefd, de tuin grensde aan het water en bood een weids uitzicht op de eilandjes in het meer en op het Strandbad Wannsee, een strook strand van 1400 meter, goed voor twintigduizend badgasten. De grens tussen Oost- en West-Berlijn, die dwars door de Wannsee liep, bestond destijds uit een armdikke kabel.

'Dit is mijn Berlijn niet,' zei Ute toen ze me kwam opzoeken. Ze voelde zich onprettig in de villa, nerveus in de tuin. 'Als ik naar de Wannsee kijk, realiseer ik me weer hoe opgesloten we zaten. We konden niet naar de andere oever. De Muur was anders, was een hoog, dik, donker ding waar je niet overheen kon. Op de een of andere manier wende je daaraan. De Wannsee lag er open en uitnodigend bij. Je dacht: ik stap in een zeilbootje en vaar naar de overkant, of desnoods zwem ik erheen. Maar dat betekende je dood.'

Haar tóón was anders in Berlijn, misschien niet minder ironisch, maar wel scherper of bitterder.

Ze wilde weg uit de villa, weg uit de wijk.

'Ik heb hier meer het gevoel in het buitenland te zijn dan tijdens de drie dagen die ik in New York doorbracht. Ik voel me hier onwennig.'

Ze transpireerde, en zo sterk dat zich vochtvlekken in haar body aftekenden.

We namen de S-Bahn en de U-Bahn en liepen de hele verdere middag door de Mitte en de Prenzlauer Berg. Berlijn was in de steigers gezet, niet om een nieuwe stad te bouwen maar om een oude af te breken – die indruk had ik althans.

Kilometers liepen we. Ute zei niet veel.

'Het prettige van jou is dat ik ook zwijgend naast je kan lopen. Je straalt een weldadige rust uit.'

'Dat is schijn. Iedere stap die ik zet is een overwinning op de angst.'

'Je reist voortdurend.'
'Om aan de angst te wennen.'
'Werkt dat?
'Jawel. En steeds beter.'
'Iedereen is bang. Jouw rust is een ander soort rust. Jij weet precies wat je wilt en welke richting je in moet. Er zijn maar weinig mensen die dat hebben. Ikzelf heb geen enkel kompas. Ik rommel maar wat aan.'
Toen zweeg ze weer.
Aan het einde van de middag dronken we een paar glazen bier in de Keyser Söze aan de Tucholskystraße. Ik had al afgerekend en mijn jas al aangetrokken toen ze me staande hield.
'Ik wil je om iets vragen. Iets groots, iets tijdloos, iets...'
'Onmogelijks.'
'Eigenlijk wel, ja: je vriendschap.'
'Mm. Waarom niet?'
Ze keek me met haar staalblauwe ogen aan, maar anders dan normaal, een tikkeltje geheimzinnig. Of misschien had ze een uitbundiger reactie verwacht: de zoen op de wang, die ik haar bijna had gegeven.

*

Ik ging met Zane naar de vliegbasis ten zuiden van Jüterbog die door de Sovjets was aangelegd: een kilometerslange betonnen baan, geschikt voor de zwaarste militaire transportvliegtuigen. Een ontmantelde Toepolev nabij een ingestorte hangar herinnerde nog aan de raketten die hier met tientallen tegelijk waren aangevoerd en in de aangrenzende bossen waren opgesteld, onder de grond, in lanceerbunkers. Rechts van de landingsbaan lagen de kazernes, zes, zeven gebouwen achter elkaar, zwartgeblakerde kwartieren, waarvan de deuren verdwenen waren en de ramen gebroken.

We gingen het voorste gebouw binnen. In de lange zalen hing de geur van latrines, op een enkel stapelbed lag nog een matras, met schroeigaten van peuken. Al het andere meubilair was ontvreemd. Een pin-up aan een wand was de enig overgebleven getuige van het soldatenbestaan.

Zane hurkte neer en schetste de zaal, met de blondine als blikvanger. Hij tooide haar met een baret en leek tevreden: dit was waarnaar hij zocht.

*

Met Ute keerde ik een paar dagen later naar Jüterbog terug. In een wijde boog liepen we rond de kerk en rond de honderden graven van de soldaten van het Rode Leger. Bemoste stenen met hamer en sikkel, nauwelijks meer te lezen namen en jaartallen.

'Dit zegt ook iets,' mompelde Ute. 'Kijk eens naar de leeftijden... Omdat die jochies hier het leven lieten, moest ik zes jaar Russisch leren op de middelbare school. Ik heb geen woord onthouden, puur uit onwil. Dit is nou wat men geschiedenis noemt. Alleen "ik hou van jou" kan ik nog in het Russisch zeggen, en niet omdat ik van plan was om die woorden ooit in de mond te nemen maar omdat ze zo verdomde mooi klinken. In geen andere taal kun je zo vol, zo smachtend en zo pathetisch zeggen dat je van iemand houdt.'

'Laat eens horen?'

'Nee.'

'Waarom niet?'

'Omdat ik dan nog steeds het gevoel heb dat ik mijn ziel verkoop.'

*

'Ik kan mijn land niet verlaten,' zei ze op de terugweg.

'Zo'n doem moet je nooit over jezelf afroepen.'

'Niet vanwege het land. Ik wil niet uit mijn taal stappen.'

» VII «

De winter viel even onverwachts in als de herfst.

Ik was alweer een paar dagen terug in Schloß Freywalde toen ik op een morgen wakker werd en een scherp ochtendlicht de kamer zag binnenkomen. Het leek alsof de wanden en het plafond een verfbeurt hadden gekregen. De geluiden die van buiten kwamen, klonken me dof in de oren. Ik stond op, schoof de vitrage weg (de kamers hadden gek genoeg geen overgordijnen) en zag dat het park verborgen ging onder een dik pak sneeuw.

Sneeuw geeft bossen een enorme uitgestrektheid, breekt ze bij wijze van spreken open. Ik kon kilometers ver kijken, zag in de verte reeën en herten wegspringen, in groten getale en dicht bijeen, alsof ze in de kou elkanders beschutting zochten. Ik maakte die dag niet alleen 's morgens een lange wandeling maar ook 's middags.

Ute liep niet met me mee. De twee vorige dagen had ze ook verstek laten gaan, ze had een opdracht gekregen die ze in grote haast moest uitvoeren en ze had zich in de doka opgesloten. Het was ook mogelijk dat ze alvast wilde wennen aan ochtenden zonder bossen en zonder wandelingen. Haar bijdrage aan het Feininger-project was ze aan het afronden, ze moest nog twee foto's afleveren die in de hal van de Neue Nationalgalerie zouden komen te hangen, en dan zou het moment aanbreken dat ze haar koffers moest pakken. Die foto's bezorgden haar veel kopzorgen en ze treuzelde er lang over, opzettelijk misschien, om haar vertrek nog wat uit te stellen.

Ik vond het prettig om alleen in die besneeuwde bossen te lopen. Ik ben graag onder mensen en mis iedere aandrang tot het monnikenbestaan, maar soms geeft eenzaamheid me een fysiek gevoel van welbehagen. De kou versterkte dat effect, het was een prettige kou die nauwelijks in het gezicht prikte en alleen de sensatie van frisheid gaf.

Terwijl mijn schoenen in de sneeuw knerpten, had ik voor het eerst de indruk ver weg te zijn. Van Curaçao was ik naar Duitsland gekomen, met een onderbreking van drie dagen, om in Amsterdam mijn winterkleren op te halen. Mijn lichaam had de Caribische warmte lang vastgehouden – nu pas voelde ik de overgang.

Tijdens mijn middagwandeling hoorde ik Ute. Tientallen stappen lang dacht ik in de ban te zijn van een verontrustende bezetenheid. Ute was niet alleen deel gaan uitmaken van mijn dagelijks leven, ik hoorde haar nu ook op een klaarlichte middag in het bos 'Ja... ja... ja...' roepen. Toen zag ik Ute en Zane. Op een flinke afstand, tweehonderd of driehonderd meter verderop, maar daardoor niet minder scherp. Zij steunde met haar handen tegen een boom, hij nam haar van achteren.

Hun bovenkleren hadden ze aangehouden; zijn broek en slip hingen op zijn knieën, haar broek was verder naar beneden geschoven, tot op haar enkels. 'Ja... ja... ja....' Ute schreeuwde het uit. Ik wilde me omdraaien, wilde dit niet zien, maar bleef gebiologeerd kijken. Pas toen Zane met een soort roversgebrul klaargekomen was, draaide ik me om en maakte me uit de voeten.

Langgerekte heupen. Prachtige benen, gekmakend mooi. En toch beukte Zane tegen die adembenemend mooie billen als een houthakker die het liefst een heel bos met de grond wilde gelijkmaken.

*

Het duurde twee dagen voor ik erachter kwam dat Ute en Zane verdwenen waren.

De Baas deed er even lang over.

Hij belde me de derde dag op, vroeg in de middag, en snerpte met zijn scheermesstem: '*Wo ist die Ute.*'

'Geen idee.'

'Jij moet het weten, jij hebt iets met haar.'

'Niet dat ik weet.'

'Waar houd je haar verborgen?'

Hij wist dus niets van Zane.

Ik kreeg het knap warm, vond niet direct de juiste woorden in het Duits, stotterde, waardoor hij nog bozer werd.

'Ik zit hier met de belastingconsulent haar aangifte te doen en nu is ze er niet. Ik heb haar ogenblikkelijk nodig.'

Niet de liefde was in het spel, noch de onvoorwaardelijke trouw, maar een misgelopen afspraak met de *Steuerberater*.

'Het spijt me, ik kan je niet helpen.'

'Waar was je de afgelopen dagen?'

'Ik gaf een lezing, ik las voor de pauze voor en Wolfgang Merkelbach na de pauze. De dag daarop las ik op een middelbare school voor, en... trouwens, dat gaat je niets aan.'

'Ik heb het recht te weten waar Ute is. Zeg waar ik haar kan bereiken. Ik raad je aan mee te werken.'

'Je treft het dat mijn Duits niet perfect is en dat mijn vocabulaire de juiste scheldwoorden mist. Sta me toe het Engels te gebruiken, dan zeg ik: *fuck the hell.*'

Hij had er even niet van terug. Toen riep hij: 'Ik weet je te vinden.'

*

Een kleine drie uur later stapte hij mijn kamer binnen. Ik had de klop op de deur kunnen negeren, ik had niet open kunnen doen, maar ik vermoedde dat het Zane was, of Ute, en had er geen moment rekening mee gehouden dat hij zijn dreigement zou uitvoeren.

Hij ging op de enige gemakkelijke stoel zitten die in de kamer stond, ik keek hem vanaf de bureaustoel aan. Hij hield zijn jas aan, een vale regenjas met een vettige kraag; hij zette zijn benen ver uit elkaar en zakte diep weg in de stoel. Ik vermoedde dat hij oververmoeid was en dat in zijn oogwit een paar adertjes gesprongen waren, maar door de getinte glazen van zijn bril kon ik dat niet goed zien. Hij trok de manchetten van zijn overhemd onder de mouwen van zijn colbertje en zijn regenjas vandaan, alsof hij de gouden manchetknopen wilde laten glinsteren in het halogeenlicht dat de bureaulamp verspreidde. Mijn oog viel op zijn schoenen, stevige stappers met dikke leren zolen, spekzolen. Hij zweette als een verslaafde die aan het afkicken was en ik had eigenlijk maar één gedachte: hoe kom ik zo snel mogelijk van deze man af. Ik wilde weer schrijven, vijf uur in de middag was mijn beste uur, en ik vroeg me af waarom ik ooit ook maar één woord met Ute had gewisseld.

'Waar is ze?'

Hoorde ik het goed? Hoorde ik toch iets van vertwijfeling in zijn stem? Was hij de bedrogen echtgenoot? Was hij ten einde raad?

'Geen idee. Ik heb haar dinsdagmiddag voor het laatst gezien. Sindsdien niet meer.'

'Haar kamer bevindt zich...'

'Hiernaast.'

'Heb je haar gehoord? Of die verschrikkelijke muziek van haar?'

Ik schudde het hoofd.

'Je liegt.'

'Luister eens, ik ben niet opgegroeid in een land waar het lonend is je buren in de gaten te houden.'

Hij knoopte langzaam en bedachtzaam zijn regenjas open. Zijn hand gleed naar zijn binnenzak.

Het pistool legde hij op zijn schoot.

Ik schraapte mijn keel en merkte dat het slikken me moeite kostte.

'Dit is,' zei hij, met nadruk op ieder woord, 'een Heckler&Koch. Een MP5.'

Ik knikte.

'Vertel me nu waar ze is. Mijn geduld is op.'

Even overviel me de totale verwarring. Ik schatte de afstand tot de deur, ik schatte de afstand tot hem. Hard weghollen! Me boven op hem werpen! Wat moest ik doen?

Toen pakte ik van het bureau een landkaart en hield Venezuela in de lucht.

'Je denkt dat ik Nederlander ben. Klopt. Maar de afgelopen jaren was ik vaak in Venezuela. Een gewelddadig land. Ik woon niet in Nederland, het grootste deel van het jaar breng ik op Curaçao door. Ook een gevaarlijke plek. Recent onderzoek heeft uitgewezen dat er dertigduizend wapens op het eiland zijn. Dertigduizend! Dat betekent dat een op de vijf bewoners een pistool of geweer heeft. Het is daar niet moeilijk om aan een wapen te komen. Na de twintigste inbraak besloot ik er een in huis te nemen, voor het geval ik midden in de nacht bezoek zou krijgen. Ik had geen verstand van wapens, ik liet me voorlichten. De man van wie ik het wapen kocht, bood me schietlessen aan. Zo raakte ik bekend met wapens. Het heeft dus geen zin me met deze MP5 te bedreigen. In één oogopslag zie ik dat het om een oud verroest ding gaat en dat het niet geladen is.'

Ikzelf was verbaasder dan hij. Op Curaçao had een kennis me na de twintigste inbraak een wapen aangeboden; tot zover klopte mijn verhaal. Ik had het geweigerd. Een wapen in huis zou de kans op inbraak niet verkleinen. Het zou slechts het risico van een gewelddadige actie verhogen, met alle juridische gevolgen van dien. Schietles had ik nooit genomen en ik kende het verschil tussen een revolver en een pistool niet.

'Bluf,' zei hij na een tijdje.

Ik haalde de schouders op.

Hij pakte het wapen, hield het vlak voor zijn ogen en liet het in de binnenzak van zijn jasje glijden. Alsof hij niet goed wist wat hij vervolgens met zijn handen moest doen, stak hij een sigaret op.

'Het is de eenzaamheid.' Hij zoog de rook diep op; zijn vingers beefden. 'Ik ben dat niet gewend. Ik had haar nooit weg moeten laten gaan. Ik lig de hele nacht naar krimi's te kijken, rook twee pakjes sigaretten en snak naar stuff. Natuurlijk is dat ding niet geladen, ik heb het op een rommelmarkt gekocht. Om indruk op háár te maken, om háár in toom te houden. Ik weet niet hoe oud je bent, maar neem nooit een vijftien jaar jongere vrouw. Het enige wat je dan nog bezighoudt is de angst haar te verliezen.'

Hij stond op. 'Neem me niet kwalijk.' Bij de deur schudde hij me tweemaal de hand. 'Ik hoop dat je hier geen zaak van maakt, ik wil uit de buurt van de politie blijven, mijn handeltjes liggen op de grens van wat mag en van wat niet mag, ik wil voorkomen dat mijn administratie in beslag wordt genomen, of mijn computer. Ik kan je betalen als je wilt, vijfhonderd mark, duizend, als schadevergoeding voor de schrik.'

Hij was plotseling een en al gedienstigheid.

'Nee, dank je. Het enige wat ik van je vraag is me niet meer lastig te vallen. De bedoeling van mijn verblijf hier is rust en concentratie.'

'Rust ja, rust, rust, ik beloof je rust. *Grüß Gott.*'

Hij verdween zoals hij gekomen was, met snelle, lichte, onhoorbare pas.

*

Van schrijven kwam het niet meer. Ik bladerde in de dikke Feininger-catalogus, zag dreiging in zijn schilderijen, ook in de vroegste, met de vlerkerige personages. Rainer liet ik los. Ik vergat hem niet, noch de onmacht die hem naar zijn pistool had doen grijpen, ik verbande hem uit mijn kamer en uit mijn geest. Met Ute was het net zo, haar naam wilde ik voorlopig niet meer in gedachten roepen.

In 1936 reisde Feininger met Julia naar Hamburg. Hij at met haar in een restaurant dat recht tegenover de oude *Gewerbeschule* lag waar hij zijn eerste tekenlessen had genomen. De volgende dag, op 6 mei 1936, gingen hij en Julia aan boord van het passagiersschip de Manhattan, dat hen naar New York voer. Het afscheid was niet definitief. Ze keerden nog één keer naar Duitsland terug, in 1937, en vonden de situatie sterk verslechterd, tot op het macabere af. In juni 1937 vertrokken ze definitief. In datzelfde jaar werden 33 schilderijen, 28 aquarellen, 46 tekeningen en 303 prenten van Feininger uit museumcollecties in beslag genomen. Op de tentoonstelling Entartete Kunst in München hingen elf van zijn werken.

'In Duitsland,' schreef hij in 1938 in New York, 'is alles voorbij.'

In 1953 schilderde hij zijn laatste grote werk: *Shadow of Dissolution*.

*

Ute belde die avond, tegen middernacht. Ze was met Zane naar Dessau gevlucht. Ze hadden de trein genomen, ze logeerden in een goedkoop hotel. Het ging niet goed.

'Zane heeft het vandaag twaalf keer met me gedaan. Stel je voor: twaalf keer! Hij doet me pijn, hij is een en al razernij, er valt geen land met hem te bezeilen.'

Ik zei kalm: 'Ik wil het niet meer horen. Je doet er trouwens goed aan zo snel mogelijk naar Berlijn terug te keren. Ik kreeg vanmiddag bezoek van je man. Hij was buiten zichzelf. Hij bedreigde me met een pistool.'

'Ach hou op. Neem me niet in de maling.'

'Een Heckler&Koch. Een MP5.'

'Ik heb je toch gezegd dat hij me doodschiet! Hartstikke dood!'

'Hij maakt zich zorgen over je belastingaanslag. Kijk even in je agenda: afspraak met de belastingconsulent. Dat was vandaag.'

'Stom van me. Compleet vergeten.'

'Wanneer gaat de eerste trein naar Berlijn?'

'Morgen om zes uur.'

'Dat wordt dan vroeg opstaan.'

'Heeft hij je echt bedreigd?'

'Nogmaals: ik wil er niets meer mee te maken hebben. Het ga je goed. Ciao.'

» VIII «

Zane kwam tijdens de middagmaaltijd bij mij aan tafel zitten. Hij had zich in dagen niet geschoren en zag er moe uit. Ik stelde hem geen enkele vraag, hij zei niets. Hij schrokte zijn eten op. Na de maaltijd knikte hij me dankbaar toe en bood me een American Spirit aan. We rookten zwijgend.

Ute verscheen pas een week later. Ze had toen zoveel vertraging opgelopen bij het voltooien van haar opdracht dat ze hele dagen en nachten in de doka doorbracht. Altijd hetzelfde probleem, zei ze toen ik haar in het trappenhuis tegenkwam: uit de geselecteerde negatieven kon ze niet kiezen.

Ik liep iedere morgen alleen door de besneeuwde bossen. Ik miste haar stem, miste haar lach en miste haar malle ideeën. Maar ook ik werkte hard, hele middagen, hele avonden, halve nachten lang.

Op vrijdag keerde Ute naar Berlijn terug. Ze bleef er zaterdag, zondag en maandag. Op dinsdagavond verscheen ze in de eetzaal, ze at nauwelijks van haar salade, maar dronk twee pijpjes bier en maakte een fles Valpolicella soldaat. Het ging slecht met de Baas, vertelde ze me, hun verhouding stond op springen.

Op woensdag- en donderdagmorgen hoorde ik weer 'Ja... ja... ja...' in de aangrenzende kamer. Op vrijdag vertrok ze met twee koffers naar Berlijn, op zaterdag vond ik na mijn ochtendwandeling een briefje dat onder de deur van mijn kamer door was geschoven.

Ik vouwde het open. Het schrift was helder en elegant, de taal Engels.

'Op het moment dat je dit leest zit ik in een vliegtuig en bevind ik me boven de Atlantische Oceaan. Alle weken die ik op dit klotekasteel doorbracht telefoneerde ik met Amerika via het vaste toestel op mijn kamer of in het atelier. Je begrijpt waarom: dat is een stuk goedkoper dan met de portable. Gisteren ontdekte ik dat de Rode Furie het op een akkoordje had gegooid met de dragonder van het secretariaat. Zij hield precies bij met wie ik had gebeld (in negen van de tien gevallen met mijn vrouw en mijn kleine meid) en hoe lang.

Ook mijn binnenkomende telefoontjes luisterde ze af, meestal in het gezelschap van Roodhaar. Toen ik het ontdekte, heb ik mijn koffers gepakt. Ik hoop je nog eens te zien. Wanneer je in Arizona komt, ben je van harte welkom. Je kunt gerust een paar weken blijven, ik heb plaats zat. Het is goed werken in de woestijn: zon en droogte verzekerd. Hierbij mijn adres. Het is een ander dan waaronder ik geregistreerd sta bij het secretariaat. Geef het alsjeblieft niet aan haar door, anders komt de geheime dienst weer in actie. Dank voor je gezelschap, zonder jou had ik het hier niet volgehouden. Dit land grijpt me naar de keel. Ik had hier niet moeten komen. Zane.'

Ik las het briefje tweemaal en besloot het adres niet aan Ute te geven.

*

De laatste vier weken die ik in Schloß Freywalde doorbracht verliepen in serene rust. Met regelmatige tussenpozen bleef de sneeuw vallen. Als ik op mijn wandelingen gezelschap kreeg, dan was dat van reeën en herten. Ik bleef nooit langer dan een halfuur aan tafel zitten, na de avondmaaltijd speelde ik piano in de salon op de eerste verdieping. Om negen uur schoof ik weer achter mijn bureau.

Eén keer kon ik de verleiding niet weerstaan en belde Ute. Ook mij had ze het nummer van haar mobieltje gegeven; ik hoorde een uitgelaten stem die in een Engels met een zwaar Duits accent zei: '*This is the right number but the wrong moment. Please leave a message.*'

Wist ze dat Zane met de noorderzon vertrokken was? Ongetwijfeld. De secretaresse moest het aan haar doorgegeven hebben.

Ik woonde de opening van de Feininger-tentoonstelling bij. Ute was daar niet. Ik gaf nog één lezing, voltooide mijn boek, bracht nog één weekend in Berlijn door en pakte mijn koffers.

Op mijn laatste avond in Schloß Freywalde ging de telefoon.

Ute.

Het was alsof ze voorvoelde dat ik op de trein zou stappen en uit het zicht zou verdwijnen. Of was het weer Frau Ilse geweest die haar doorgegeven had dat ik mijn drank- en telefoonrekening had betaald en voor de volgende morgen een taxi had besteld?

We praatten lang, niet over de Baas, noch over Zane, alleen over toeval en waartoe dat allemaal kan leiden.

Het was een melancholiek gesprek.

'Wanneer gaat je trein?' vroeg ze ten slotte.

'Die vanuit Jüterbog om negen uur en die vanuit Berlijn om elf uur.'

'Hauptbahnhof.'

'Ja.'

'Ik zal er zijn.'

*

Ze was er. Dat wil zeggen, om tien voor elf kwam ze het perron op lopen. Ze sloeg haar armen om me heen, legde haar hoofd tegen mijn schouder, drukte haar lichaam tegen me aan.

'Ik haat afscheid. Ik heb mijn leven verpest, in een paar maanden tijd heb ik zo'n beetje alles verknald, maar de apotheose was grandioos. Dankzij Zane en dankzij jou. Wat is het heerlijk, wat is het verrukkelijk, wat is het supergeil als iemand naar je luistert. En zoen me nu maar op mijn mond.'

Ik zoende haar op de mond, zij duwde me weg. Ze draaide zich om en zette het op een lopen. Ze rende het perron over, de trap af.

Ik moest nog vijf minuten wachten voor de trein het station kwam binnenrijden en vond het doodzonde dat ze die tijd had vermorst. In vijf minuten kun je nog een hoop zeggen.

*

Louter uit nieuwsgierigheid, of misschien ook omdat ik haar in een droom met een bebloed hoofd had gezien, belde ik haar drie weken later, vanuit Amsterdam en vlak voor mijn terugkeer naar Curaçao. Het duurde lang voor er opgenomen werd. Toen hoorde ik de scheermesstem.

'Ute is weg,' zei Rainer. 'Ik heb haar telefoon in beslag genomen. Ik verzoek je dit nummer niet meer te gebruiken.'

Hij verbrak de verbinding.

» IX «

Jaren verstreken, de nieuwe eeuw brak aan.

Ik was op doorreis toen ik in Dijon op een affiche de naam Ute Keller zag staan.

Na enig zoeken vond ik de galerie.

Het was een bizarre gewaarwording om op een warme zomerse dag in Frankrijk oog in oog te staan met foto's die grote lege plekken in de herfstige bossen van Mark Brandenburg lieten zien.

Ik had even de indruk terug te zijn in Schloß Freywalde, en was er tegelijkertijd onmetelijk ver van verwijderd. Alles wat daar gebeurd was kwam me als onwaarschijnlijk voor, maar de foto's bewezen dat er een Ute had bestaan met wie ik over brede en smalle paden was gelopen onder grijze of zilveromrande wolken en met wie ik over het kreupelhout was gestapt om vlierbessen te plukken.

Ik kocht de catalogus en schrok. Op de binnenflap was een portret van Ute afgedrukt. Diepliggende ogen, ingevallen wangen, kleurloze lippen en een glimmend, kaalgeschoren hoofd.

Het vel zat zo strak om haar schedel dat ik naar een doodshoofd keek. Veel erger vond ik haar blik. De montere ironie en de uitdagende gulzigheid hadden plaatsgemaakt voor verbetenheid, het vuur en de trots waren uit haar ogen verdwenen.

Ze had inderdaad in een paar maanden tijd haar leven verwoest.

Wanneer ik haar in een trein of op een vliegveld was tegengekomen, zou ik haar niet hebben herkend en achteloos aan haar voorbij zijn gegaan. Als aan een vreemde.

VERANTWOORDING

De dichtregels van het motto komen uit Heinrich Heine, *Reistaferelen*, vertaald door Wilfred Oranje. De citaten van Lyonel Feininger en de feiten over het leven van de schilder ontleende ik aan de door Roland März samengestelde catalogus bij de retrospectieve tentoonstelling *Lyonel Feininger, Von Gelmeroda nach Manhattan*, in de Neue Nationalgalerie in Berlijn (1998) en het Haus der Kunst in München (1999).